习近平在对美国进行国事访问时的讲话

人民出版社

目　录

在中美省州长论坛上的讲话

（2015年9月22日，西雅图）

中华人民共和国主席　习近平

尊敬的加利福尼亚州布朗州长，

尊敬的华盛顿州英斯利州长，

尊敬的艾奥瓦州布兰斯塔德州长，

尊敬的密歇根州斯奈德州长，

尊敬的俄勒冈州布朗州长，

中方各位省市负责同志，

女士们，先生们，朋友们：

很高兴出席第三届中美省州长论坛。首先，我对论坛的成功举办，表示热烈的祝贺！对各位省州负责人长期以来为促进中美关系发展作出的积极努力，表示高度的赞赏！

刚才，我认真听了你们的发言，大家讲得都很好。每次同中美地方负责人交流，我都很受启发。2012年，我访美时曾在洛杉矶出席中美省州长见面会。2013年，我在北京会见了参加第二届省州长论坛的双方代表。大家畅谈地方合作，为发展两国关系献计献策，我至今记忆犹新。

我曾长期在地方工作，深知地方领导责任之重、工作之不易，也深知地方合作对发展国家关系有着重要作用。国与国关系归根结底需要人民支持，最终也服务于人民。地方是最贴近老百姓的。地方合作搞得好不好，关系国家层面的合作能否落地生根。为此，我一直高度重视中美地方合作。过去30多年，中美关系发展得益于两国地方和人民支持，未来仍然要依靠地方、造福地方。

我高兴地看到，近年来，中美地方交流合作呈现新的蓬勃发展态势。中国31个省区市同美国50个州建立了43对友好省州、200对友好城市。过去10年，美国42个州对华出口增幅达到3位数。据美方统计，中国过去5年对美投资年均超过80多亿美元，增速还在加快。今天来的美国5个州，中国都是你们位列前四位的出口市场和主要留学生来源国。与会的中国6个省市，有的以美国为第一大贸易伙伴，有的吸引数以千计的美国企业投资，有的一年对美国贸易额增幅就超过40%。这些交流合作造福了两国人民。

当前，中美关系总体保持稳定发展，各领域务实合作全面深化。我这次来，希望同奥巴马总统和美国社会各界深入交流，规划两国关系发展蓝图。从国际上看，经济全球化继续深入发展，产业升级酝酿新突破，各种生产要素在世界范围内加快流动。在上述背景下，两国地方交流合作有着更加广阔的天地。

首先，双方要有效利用中美两国经济巨大体量带来的机遇。规模就是商机。中美坐拥世界前两大经济体地位，这本身就是省州开展合作的巨大宝藏。美国作为世界第一大经济体，拥有广大的市场空间，吸纳外部商品、投资、人才的能力极强。从中国看，我们有13亿多人口，山东、四川两省人口都接近一个亿，在座6省市人口加起来相当于全美国人口的总数。我们正在大力推进新型工业化、信息化、城镇化、农业现代化，实施创新驱动发展战略，这一进程将对外部商品、技术、服务产生海量需求。未来5年，预计中国将进口10万亿美元商品，对外投资将超过5000亿美元，出境旅游人数将超过5亿人次。我们欢迎美国各州同中国地方加强合作。

第二，双方要共同分享中美两国改革发展的政策利好。变革是当今世界的潮流。中国将坚定不移继续改革开放，中国各地正在进行各方面改革开放的探索。美国努力调整经济结构，采取“再工业化”、制造业回流等政策，制定了很多鼓励科技创新、产业升级的战略规划，推动经济持续复苏。一些州出台了不少招商引资的办法，条件甚至比我们上世纪80年代还优惠。这都会创造合作机遇。我们鼓励更多中国地方到美国开展更高水平的交流合作，实现自身发展，也进一步造福当地社会。

中国正在制定“十三五”时期经济社会发展规划。我们将着力实行新一轮高水平对外开放，加快建立开放型经济新体制。这方面，我们鼓励一些有条件的地区先行先试。比如，我们在上海、广东、天津、福建设立 4 个自由贸易试验区，采取准入前国民待遇加负面清单的管理模式；在北京市开展金融、旅游、医疗等 6 个服务业领域对外资开放试点，等等。我们将采取有力措施促进国内区域协调发展、城乡协调发展，加快欠发达地区发展。我们将加快推进“一带一路”建设，为国内各地区拓展对外合作搭建平台。比如，新疆是丝绸之路经济带“核心区域”，云南是“一带一路”向西南开放的“桥头堡”。“一带一路”欢迎包括美国在内的世界各国积极参与。这些措施将为中美地方合作创造机遇。

第三，双方要努力发掘中美地方优势互补的潜能。发挥优势是合作成功的关键。中美各地优势领域各具特色，互补性很强。双方应该因地制宜，“八仙过海，各显神通”。比如，艾奥瓦州有“美国粮仓”之称，俄勒冈州也是美国的重要农业区，可以同陕西、河北、黑龙江等中国农业大省加强合作。加利福尼亚州的惠普公司在重庆建有全球电脑生产基地，双方可以围绕信息产业深化合作。密歇根州是美国最大的机动车生产地，中方在座的六省市都在积极发展汽车工业，双方可以探讨开展更多合作项目。双方还可以积极探索开辟第三方市场。

中国正在大力推进生态文明建设。这也是我们“十三五”规划的一个重点方向。粗略计算，我们这些年每年环保投入近2000亿美元，各地环保投入都在快速增长。这方面中国有需要、有市场，美国有技术、有经验。华盛顿州在环保、海岸带保护等方面有优势，就可以同中国一些环保投入大省或沿海省份加强合作。前不久在洛杉矶举办的首届中美气候智慧型/低碳城市峰会效果也很好，很多地方省州减排目标走在了国家目标的前头，发挥着率先引领作用。这种努力值得肯定和鼓励。两国地方环保领域交流合作理应成为中美合力应对气候变化、推进可持续发展的一个重要方面。

我高度重视中美人文交流。“亲戚越走越近，朋友越走越亲。”中美民众往来越频繁，两国友好的基础就越坚实，务实合作就越红火。各省州应该在教育、旅游、体育、青年等广泛领域开展交流合作，支持社会各界和民众多走动、常来往。

就业是各位省州长高度关注的问题，我们要通过开展这些合作，促进增长，创造就业，使人民受益。

今天来的中国省市，每家都有几十、上百所高等院校，有的省在校生数量超过百万。2006 年，我在浙江工作时，出席了温州大学和美国肯恩大学合作创办温州肯恩大学的签字仪式。经过多年努力，温州肯恩大学去年正式设立，目前运转良好。浙江省还有近百所中小学同美国各地学校结成姐妹关系，往来活跃。双方应该探索形式多样的教育合作，共同培养面向未来的高素质人才。中方将在未来 3 年内资助两国共 5 万名留学生到对方国家学习，美国也将努力在 2020 年前实现百万名美国学生学中文，两国将在 2016 年举办旅游年。这些举措将为两国各省州加强人文交流提供更多平台。希望大家一道努力，把中美民间友好的桥梁筑得更宽、更牢。

中国人常说“只争朝夕”。西方人则讲究“行事要趁机会好”。中美地方合作正当其时。希望各位积极推动两国各省州抓住机遇、乘势而上，共同谱写中美地方合作新篇章。

谢谢大家。

在华盛顿州当地政府和美国友好团体联合欢迎宴会上的演讲

（2015年9月22日，西雅图）

中华人民共和国主席　习近平

尊敬的基辛格博士，

尊敬的英斯利州长、普利茨克部长、默里市长，

尊敬的希尔斯主席、菲尔茨主席，

女士们，先生们，朋友们：

大家好！谢谢基辛格博士的介绍。基辛格博士总能说出一些新颖的观点，他的介绍让我对自己也有了一个新的认识角度。华盛顿州、西雅图市是我对美国进行国事访问的第一站，有机会在这里同各位新老朋友欢聚一堂，感到十分高兴。首先，我谨向在座各位，并通过你们向美国人民，致以诚挚的问候和良好的祝愿！

我对华盛顿州和西雅图市并不陌生。人们常说，华盛顿州是“常青之州”，西雅图市是“翡翠之城”。这里有雄伟挺拔的雷尼尔山、波光潋滟的华盛顿湖。电影《西雅图不眠夜》使这座城市在中国民众中有很大吸引力。目前，华盛顿州对华出口居全美之首，中国也成为西雅图港最大贸易伙伴。华盛顿州和西雅图市成为中美人民友谊、中美互利合作的一个重要象征。

众人拾柴火焰高。中美关系发展，离不开两国政府、地方、友好团体、各界人士的辛勤耕耘和精心呵护。特别是美中关系全国委员会、美中贸易全国委员会、美中政策基金会、美国商会、美国中国总商会、百人会、华美协进社、对外关系委员会、亚洲协会、布鲁金斯学会等友好团体和一大批友好人士，长期为促进两国友好合作奔走努力。中美关系持续发展，凝聚着大家的心血和汗水。在这里，我谨向所有致力于中美友好事业的地方政府、社会团体、大学和智库机构及各界人士，表示由衷的敬意和诚挚的感谢！

女士们、先生们、朋友们!

新中国成立以来特别是改革开放以来,中国走过了一段很不平凡的历程,我们这一代中国人对此有着切身的体会。

上世纪60年代末,我才十几岁,就从北京到中国陕西省延安市一个叫梁家河的小村庄插队当农民,在那儿度过了7年时光。那时候,我和乡亲们都住在土窑里、睡在土炕上,乡亲们生活十分贫困,经常是几个月吃不到一块肉。我了解乡亲们最需要什么!后来,我当了这个村子的党支部书记,带领乡亲们发展生产。我了解老百姓需要什么。我很期盼的一件事,就是让乡亲们饱餐一顿肉,并且经常吃上肉。但是,这个心愿在当时是很难实现的。

今年春节,我回到这个小村子。梁家河修起了柏油路,乡亲们住上了砖瓦房,用上了互联网,老人们享有基本养老,村民们有医疗保险,孩子们可以接受良好教育,当然吃肉已经不成问题。这使我更加深刻地认识到,中国梦是人民的梦,必须同中国人民对美好生活的向往结合起来才能取得成功。

梁家河这个小村庄的变化，是改革开放以来中国社会发展进步的一个缩影。我们用了30多年时间，使中国经济总量跃居世界第二，13亿多人摆脱了物质短缺，总体达到小康水平，享有前所未有的尊严和权利。这不仅是中国人民生活的巨大变化，也是人类文明的巨大进步，更是中国对世界和平与发展事业的重要贡献。

同时，我们也清醒认识到，中国仍然是世界上最大的发展中国家。中国的人均国内生产总值仅相当于全球平均水平的三分之二、美国的七分之一，排在世界80位左右。按照我们自己的标准，中国还有7000多万贫困人口。如果按照世界银行的标准，中国则还有两亿多人生活在贫困线以下。中国城乡有7000多万低保人口，还有8500多万残疾人。这两年，我去了中国很多贫困地区，看望了很多贫困家庭，他们渴望幸福生活的眼神深深印在我的脑海里。

这些情况表明，中国人民要过上美好生活，还要继续付出艰苦努力。发展依然是当代中国的第一要务，中国执政者的首要使命就是集中力量提高人民生活水平，逐步实现共同富裕。为此，我们提出了“两个一百年”奋斗目标，就是到2020年实现国内生产总值和城乡居民人均收入比2010年翻一番，全面建成小康社会；到本世纪中叶建成富强民主文明和谐的社会主义现代化国家，实现中华民族伟大复兴。我们现在所做的一切，都是为了实现这个既定目标。实现全面建成小康社会，必须全面深化改革、全面依法治国、全面从严治党。这就是我们提出的“四个全面”战略布局。

大家都关心中国的发展走向，关心中国的政策取向，这里，我就其中一些主要的问题讲几点意见。

——中国经济将保持平稳较快发展。中国经济运行仍然保持在合理区间，今年上半年，中国经济增长7%，增速仍然居世界前列。在世界总体经济形势复杂多变的环境下，这是来之不易的。当前，各国经济都面临着困难，中国经济也面临着一定下行压力，但这是前进中的问题。我们将统筹稳增长、促改革、调结构、惠民生、防风险，加强和创新宏观调控，促进经济增长保持中高速水平。现在，中国新型工业化、信息化、城镇化、农业现代化持续推进，居民储蓄率高，消费潜力巨大，人民工作勤奋，中等收入者比重在提高，服务业发展空间很大，市场空间和潜力都很大。今后，中国将更重视提高经济发展质量和效益，加快转变经济发展方式、调整经济结构，更加注重创新驱动，更加注重消费拉动，更加注重解决经济发展中存在的不平衡、不协调、不可持续问题，使中国经济凤凰涅槃、浴火重生，保持强劲发展动力。

前段时间，中国股市出现了异常波动，引起了大家关注。股市涨跌有其自身的运行规律。政府的职责是维护公开、公平、公正的市场秩序，防止发生大面积恐慌。这次，中国政府采取了一些稳定市场的措施，遏制了股市的恐慌情绪，避免了一次系统性风险。各国成熟市场也采取过类似做法。中国股市已经进入自我修复和自我调节阶段。8 月 11 日，中国完善了人民币汇率中间价报价机制，加大了市场决定汇率的力度。目前，人民币汇率偏差矫正已初见成效。从国际国内经济金融形势看，人民币汇率不存在持续贬值的基础。我们将坚持市场供求决定汇率的改革方向，允许人民币双向浮动，我们反对搞货币竞争性贬值，反对打货币战，也不会压低人民币汇率刺激出口。发展资本市场、完善人民币汇率市场定价机制是中国的改革方向，不会因为这次股市、汇市波动而改变。

——中国发展的根本出路在于改革。我们改革的目标，就是推进国家治理体系和治理能力现代化，使市场在资源配置中起决定性作用，更好发挥政府作用，加快发展社会主义市场经济、民主政治、先进文化、和谐社会、生态文明。2013 年，中共十八届三中全会确定了全面深化改革的顶层设计，提出 330 多项改革措施。2014 年，我们确定的 80 个重点改革任务基本完成。今年上半年，我们已经出台 70 多项重点改革方案，其作用将逐步显现。改革关头勇者胜，我们将以敢于啃硬骨头、敢于涉险滩的决心，义无反顾推进改革。我们坚定不移坚持市场经济改革方向，将继续在市场、财税、金融、投融资、价格、对外开放、民生等领域集中推出一些力度大、措施实的改革方案。

——中国开放的大门永远不会关上。对外开放是中国的基本国策，中国利用外资的政策不会变，对外商投资企业合法权益的保障不会变，为各国企业在华投资兴业提供更好服务的方向不会变。中国尊重非歧视性规则的国际营商惯例,遵守国民待遇等世贸组织原则,公平公正对待包括外商投资企业在内的所有市场主体,欢迎跨国公司同中国企业开展各种形式合作。我们将及时解决外国投资者合理关切,保护他们的合法权益,努力营造公开透明的法律政策环境、高效的行政环境、平等竞争的市场环境,尤其是保护好知识产权,为我们同包括美国在内的世界各国开展合作开辟更加广阔的空间。

——中国坚持依法治国的基本方略。"法者,治之端也。"全面依法治国就是要坚持依法治国、依法执政、依法行政共同推进,坚持法治国家、法治政府、法治社会一体建设,推动司法公信力不断提高、人权得到切实尊重和保障。中国在立法、执法、司法等领域将公平对待外国机构和企业。我们愿同美方就法治问题开展交流,相互借鉴,共同提高。

中国是网络安全的坚定维护者。中国也是黑客攻击的受害国。中国政府不会以任何形式参与、鼓励或支持任何人从事窃取商业秘密行为。不论是网络商业窃密，还是对政府网络发起黑客攻击，都是违法犯罪行为，都应该根据法律和相关国际公约予以打击。国际社会应该本着相互尊重和相互信任的原则，共同构建和平、安全、开放、合作的网络空间。中国愿同美国建立两国共同打击网络犯罪高级别联合对话机制。

中国肯定境外非营利组织的积极作用，只要这些组织的活动对中国人民有好处，我们不仅不会限制和禁止它们的活动，而且要通过法律保障它们的活动，保障它们在华合法权益。境外非营利组织在中国活动应该遵守中国法律，依法开展活动。

——中国继续推进反腐败斗争。我说过，打铁还需自身硬。这里说的打铁的人，就是中国共产党。中国共产党的根本宗旨是全心全意为人民服务。中国共产党有 8700 多万名党员，党内也必然存在这样那样的问题。如果我们不能解决存在的问题，任其发展下去，人民就不会信任和支持我们。所以，我们强调治国必先治党、治党务必从严。一段时间以来，我们大力查处腐败案件，坚持“老虎”、“苍蝇”一起打，就是要顺应人民要求。这其中没有什么权力斗争，没有什么“纸牌屋”。中国愿同国际社会积极开展反腐追逃合作。中国人民希望在这方面得到美国支持和配合，让腐败分子在海外永无“避罪天堂”。

——中国坚持走和平发展道路。我们刚刚纪念了中国人民抗日战争胜利暨世界反法西斯战争胜利 70 周年，历史给我们的一个重要启迪就是，和平发展是人间正道，一切通过武力侵略谋取强权和霸权的企图都是逆历史潮流的，都是要失败的。中国人 2000 多年前就认识到了“国虽大，好战必亡”的真理。中国历来奉行防御性国防政策和积极防御的军事战略。我愿在此重申，无论发展到哪一步，中国永远不称霸、永远不搞扩张。为表明中国坚持和平发展的决心，我不久前宣布中国将裁军 30 万。我们愿同各国一道，构建以合作共赢为核心的新型国际关系，以合作取代对抗，以共赢取代独占，树立建设伙伴关系新思路，开创共同发展新前景，营造共享安全新局面。

中国是现行国际体系的参与者、建设者、贡献者。我们坚决维护以联合国宪章宗旨和原则为核心的国际秩序和国际体系。世界上很多国家特别是广大发展中国家都希望国际体系朝着更加公正合理方向发展，但这并不是推倒重来，也不是另起炉灶，而是与时俱进、改革完善。这符合世界各国和全人类共同利益。

中国发展得益于国际社会，中国也要为全球发展作出贡献。我们推动共建"一带一路"、设立丝路基金、倡议成立亚洲基础设施投资银行等，目的是支持各国共同发展，而不是要谋求政治势力范围。"一带一路"是开放包容的，我们欢迎包括美国在内的世界各国和国际组织参与到合作中来。我们积极推动亚太区域经济一体化进程，推动实现亚太自由贸易区目标，是要推动形成自由开放、方便快捷、充满活力的亚太发展空间。我们倡导共同、综合、合作、可持续的安全观，是要同地区各国以及国际社会一道，维护好亚太和平和安全。

女士们、先生们、朋友们！

2013 年，我同奥巴马总统在安纳伯格庄园会晤，达成共同努力构建中美新型大国关系的重要共识。这是双方在总结历史经验基础上，从两国国情和世界大势出发，共同作出的重大战略抉择。

两年多来，双方按照达成的共识，不断推进各领域协调和合作，取得重要进展。我们携手应对国际金融危机影响，为推动世界经济复苏作出共同努力。我们深化各领域务实交流合作，给两国人民带来实实在在的利益。去年，两国双边贸易额、双向投资存量、人员往来总数都创历史新高。我们围绕伊朗核、朝核、南苏丹、阿富汗、中东等国际和地区热点问题，以及抗击埃博拉病毒、打击恐怖主义等全球性问题保持密切沟通和协调。“桃李不言，下自成蹊。”这些成果丰硕的“跨越太平洋的合作”，有力展现了中美关系发展的蓬勃生机和巨大潜力。

如何在新起点上推进中美新型大国关系？中美应该怎样携手合作来促进世界和平与发展？答案就是要坚持构建中美新型大国关系的正确方向，一步一个脚印向前走。中国古人说：“度之往事，验之来事，参之平素，可则决之。”这其中，有几件事尤其要做好。

第一，正确判断彼此战略意图。同美方一道构建新型大国关系，实现双方不冲突不对抗、相互尊重、合作共赢，是中国外交政策优先方向。我们愿同美方加深对彼此战略走向、发展道路的了解,多一些理解、少一些隔阂,多一些信任、少一些猜忌,防止战略误解误判。我们要坚持以事实为依据,防止三人成虎,也不疑邻盗斧,不能戴着有色眼镜观察对方。世界上本无“修昔底德陷阱”,但大国之间一再发生战略误判,就可能自己给自己造成“修昔底德陷阱”。

第二,坚定不移推进合作共赢。合作是实现利益唯一正确选择。要合作就要照顾彼此利益和关切,寻求合作最大公约数。中美两国合作好了,可以成为世界稳定的压舱石、世界和平的助推器。中美冲突和对抗,对两国和世界肯定是灾难。中美应该和能够合作的领域十分广阔。我们应该推动完善全球治理机制,共同促进世界经济稳定增长,共同维护全球金融市场稳定。我们应该早日谈成一个双向平衡、高水平的双边投资协定,深化中美新型军事关系建设,拓展在清洁能源、环保等领域务实合作,加强在执法和反腐败、卫生、地方等领域交流合作,挖掘在基础设施建设方面的合作潜力。我们应该深化在联合国、亚太经合组织、二十国集团等多边机制以及重大国际和地区问题、全球性挑战上的沟通和合作，为维护和促进世界和平、稳定、繁荣作出更大贡献。

第三，妥善有效管控分歧。“日月不同光，昼夜各有宜。”正是因为有了差别，世界才多姿多彩；也正是因为有了分歧，才需要聚同化异。矛盾是普遍存在的，纯而又纯的世界是不存在的。中美两国在一些问题上存在不同看法、存在分歧在所难免，关键是如何管控。最关键的是双方应该相互尊重、求同存异，采取建设性方式增进理解、扩大共识，努力把矛盾点转化为合作点。

第四，广泛培植人民友谊。国家关系归根结底是人民之间的关系。中美两国虽然相距遥远，但两国人民友好交往源远流长。230多年前，美国商船“中国皇后号”跨洋过海首航中国。150年前，数以万计的中国工人同美国人民一起，铺设了横贯东西的美国太平洋铁路。70年前，中美作为第二次世界大战盟国并肩奋战，共同捍卫了世界和平和正义。在那场战争中，数以千计的美国将士为中国人民的正义事业献出了宝贵生命。我们不会忘记美国人民为中国人民抗击侵略、赢得自由和独立给予的道义支持和宝贵援助。

中国人民一向钦佩美国人民的进取精神和创造精神。我青年时代就读过《联邦党人文集》、托马斯·潘恩的《常识》等著作，也喜欢了解华盛顿、林肯、罗斯福等美国政治家的生平和思想，我还读过梭罗、惠特曼、马克·吐温、杰克·伦敦等人的作品。海明威《老人与海》对狂风和暴雨、巨浪和小船、老人和鲨鱼的描写给我留下了深刻印象。我第一次去古巴，专程去了海明威当年写《老人与海》的栈桥边。第二次去古巴，我去了海明威经常去的酒吧，点了海明威爱喝的朗姆酒配薄荷叶加冰块。我想体验一下当年海明威写下那些故事时的精神世界和实地氛围。我认为，对不同的文化和文明，我们需要去深入了解。

在汉字中，"人"字就是一个相互支撑的形状。中美友好，根基在民众，希望在青年。我愿在此宣布，中方支持未来 3 年中美两国互派 5 万名留学生到对方国家学习，中美将在 2016 年举办"中美旅游年"。中国将为两国人民友好交往创造更多便利条件。

女士们、先生们、朋友们！

基辛格博士在其著作《世界秩序》中说:“评判每一代人时,要看他们是否正视了人类社会最宏大和最重要的问题。”马丁·路德·金先生也说过:“做对的事,任何时机都是好时机。”今天,我们再次来到了关键的历史当口。让我们携起手来,共同开创中美关系更加美好的未来,为中美两国人民幸福、为世界各国人民幸福作出更大贡献!

谢谢大家。

在西雅图出席侨界举行的欢迎招待会时的讲话

（2015 年 9 月 23 日，西雅图）

中华人民共和国主席　习近平

同胞们：

大家好！“老乡见老乡，两眼泪汪汪。”很高兴在美丽的西雅图同各位同胞团聚。再过几天就是中秋佳节了。每逢佳节倍思亲。我知道，在座各位都很思念万里之遥的祖国和亲人，祖国和亲人也牵挂着每一位海外游子。在这里，我代表祖国和 13 亿多同胞，向在座各位，并通过你们，向在美国工作和生活的全体同胞，致以诚挚的问候和良好的祝愿！大家为我们这次访问付出了辛勤劳动，我向你们表示衷心的感谢！

我这次应奥巴马总统邀请对美国进行国事访问，目的是加深两国人民友谊，促进各领域务实合作，推动中美新型大国关系建设得到新的更大发展，更多更好造福两国人民和世界人民。西雅图是我这次访美第一站，接下来我将去华盛顿进行国事活动，之后我还将去纽约出席联合国成立 70 周年系列峰会。

两天来，在同美国各界人士接触中，我深深感受到美国人民对中国人民的友好情谊，也切身体会到中美合作拥有广阔发展前景。我期待着同奥巴马总统共商中美合作大计，共创中美关系未来。

今天在座的同胞来自美国各个方面，你们代表着全体旅美侨胞。长期以来，广大旅美侨胞秉承中华民族传统美德，顽强拼搏、艰苦创业，在实现人生梦想的同时，也为美国发展繁荣作出了贡献，赢得了美国人民尊重。

今年是美国太平洋铁路修建 150 周年。150 年前，数以万计的华工漂洋过海来到美国，参与建设这条横跨美国东西部的铁路。他们拿着简陋的工具，在崇山峻岭和绝壁深谷中逢山开路、遇水搭桥，以血肉之躯铺就了通往美国西部的战略大通道，创造了当时的工程奇迹，带动了美国西部大开发，成为旅美侨胞奋斗、进取、奉献精神的一座丰碑。

旅美侨胞有着勤奋敬业的优秀品质，也有着爱国爱乡的优良传统，你们情系桑梓，关心祖国前途命运。70多年前，旅美侨胞通过捐款捐物等多种方式，积极支援祖国抗击日本军国主义侵略的斗争，在中华民族争取独立解放的历史上留下浓墨重彩的一笔。新中国成立以来特别是改革开放以来，旅美侨胞踊跃支持祖国建设，积极推动两岸关系和平发展，为祖国发展、统一和民族复兴作出了重要贡献。

旅美侨胞是中美关系的参与者、建设者、推动者。在中美关系发展历程中，旅美侨胞发挥自己独特优势，奔走于太平洋两岸，积极促进中美经济、科技、人文等各领域交流合作，在中美两国和两国人民间架起友谊和合作的桥梁。可以说，中美关系30多年发展所取得的成绩，同广大旅美侨胞不懈努力密不可分。

同胞们！

广大海外侨胞心系祖国发展，祖国发展强大是大家共同的心声。我愿借此机会向大家做些简要介绍。

中共十八大以来，为了实现“两个一百年”奋斗目标、实现中华民族伟大复兴的中国梦，我们从中国发展实际出发，明确提出全面建成小康社会、全面深化改革、全面依法治国、全面从严治党的“四个全面”战略布局。全面建成小康社会，是我们奋斗目标的第一步，也是关键一步。这个目标实现之时，中国经济总量将达到近 17 万亿美元，人民生活水平将明显提高。

为了实现我们的奋斗目标，必须全面深化改革，推进国家治理体系和治理能力现代化，现在改革正在稳步向前推进。深化改革必然进一步促进对外开放，为外资进入中国提供更为开放、宽松、透明的环境，为我们同包括美国在内的世界各国开展合作开辟更广阔的空间。同时，我们正在全面推进依法治国，让它同全面深化改革一起构成全面建成小康社会的两个翅膀、两个轮子。中国共产党是全心全意为人民服务的政党，必须始终保持同人民群众的血肉联系，所以治国必先治党、治党务必从严。对党内的不正之风和腐败现象，必须坚决处理，坚持“老虎"、"苍蝇"一起打,受到人民群众欢迎。我们将继续加强依法反腐、制度反腐,大力营造不敢腐、不能腐、不想腐的法治环境和政治氛围。

当前,中国经济发展基本面良好,发展前景光明,增长保持中高速,发展迈向中高端。在世界经济复苏艰难曲折、国内经济面临较大下行压力情况下,我们推出一系列稳增长、促改革、调结构、惠民生、防风险的重大举措,实现了经济社会发展总体平稳。上半年国内生产总值增长7%,这意味着我们一年就增长七八千亿美元,相当于一个中等国家的经济总量。未来中国经济持续向好有基础有条件有动力。我们正在大力推进经济结构调整,实施创新驱动发展战略。中国人口众多,市场潜力巨大,中国经济增长动力源很多,发展后劲很足。我们有信心、有能力应对各种风险挑战,保持金融市场稳定,推动经济持续健康发展。

实现中华民族伟大复兴的中国梦,需要和平稳定的国际环境。我们将始终不渝坚持走和平发展道路,始终不渝奉行互利共赢的开放战略,坚定致力于同世界各国发展友好关系,推动构建以合作共赢为核心的新型国际关系。

中美关系是当今世界最重要的双边关系之一，在中国外交布局中占有特殊重要位置。中国始终从战略高度和长远角度看待和把握中美关系，致力于发展长期健康稳定的中美关系。2013 年夏天，我在安纳伯格庄园同奥巴马总统达成了构建中美新型大国关系的重要共识。两年多来，在双方共同努力下，中美新型大国关系建设取得了丰硕成果。两国高层交往频繁，各领域合作不断取得新进展，在国际、地区、全球性问题上保持密切沟通和协调。事实证明，中美关系保持稳定发展，不仅有利于两国，也惠及世界。新形势下，我们将牢牢把握两国关系正确方向，不断做大两国共同利益的蛋糕，携手应对 21 世纪的共同挑战，为两国人民乃至世界人民带来更多福祉。

同胞们！

近代以来，实现中华民族伟大复兴是海内外中华儿女的共同梦想。今天，我们比历史上任何时期都更加接近实现中华民族伟大复兴的目标。我相信，作为中华民族大家庭的重要成员，广大旅美侨胞一定能够在这一伟大进程中作出独特贡献。在这里,我愿向大家提出几点希望。

一是希望大家积极融入美国主流社会,推动当地经济社会发展。要发扬中华民族勤劳善良的传统美德,通过自身努力实现人生价值。要遵守驻在国法律,尊重当地习俗,同各族裔人民和睦相处,共同发展,为当地经济社会发展贡献智慧和力量。

二是希望大家发挥学贯中西、融通中美的优势,为中美互利合作牵线搭桥。要抓住中国经济发展的机遇,利用自身资金、技术、管理、人脉等有利条件,促进中美各领域务实交流合作,为中美关系增加正能量,为中美友谊的大厦添砖加瓦。

三是希望大家积极主动宣介中华文化,讲好中国故事。每一位旅美侨胞都是中华文化的使者,希望你们身体力行展示中华文化魅力,介绍一个真实的中国,增进美国人民对中国的了解,促进中美两国人民友谊,夯实中美关系民意基础。

“悠悠天宇旷,切切故乡情。”欢迎大家常回家看看。我们这次来美国,给大家带来一些家乡的月饼,这是祖国人民的一点心意。

最后，祝大家中秋愉快、身体健康、阖家幸福！

谢谢大家。

在白宫南草坪欢迎仪式上的致辞

（2015年9月25日，华盛顿）

中华人民共和国主席　习近平

尊敬的奥巴马总统和夫人，

女士们，先生们，朋友们：

在这金秋的美好时节，我和我的夫人怀着愉快的心情来到美丽的华盛顿。首先，我要感谢奥巴马总统对我的盛情邀请和热情接待。在这里，我向美国人民转达13亿多中国人民的诚挚问候和良好祝愿！

中国和美国都是伟大的国家，中国人民和美国人民都是伟大的人民。36年前中美建立外交关系以来，两国关系始终乘风破浪、砥砺前行，取得了历史性进展。

2013 年夏天，我同奥巴马总统在安纳伯格庄园共同作出构建中美新型大国关系的战略抉择。两年多来，中美各领域交流合作取得重要进展，受到两国人民和世界人民欢迎。

中美两国携手合作，可以产生一加一大于二的力量。新形势下发展中美关系，应该随时而动、顺势而为。我这次访问美国，是为和平而来，为合作而来，我们愿同美方一道努力，推动中美关系得到更大发展，更多更好造福两国人民和世界人民。

——我们要坚持构建新型大国关系正确方向，使和平、尊重、合作始终成为中美关系的主旋律，确保两国关系沿着健康稳定的轨道不断向前发展。

——我们要坚持增进战略互信，加深相互了解，尊重彼此利益和关切，以宽广的胸怀对待差异和分歧，坚定两国人民友好合作的信心。

——我们要坚持互利共赢的合作理念，创新合作模式，拓宽合作领域，以实际行动和合作成果，给两国人民和世界人民带来更多福祉。

——我们要坚持增进人民友谊，大力推进两国民间交往，鼓励两国社会各界相向而行，不断夯实中美关系的社会基础。

——我们要坚持促进世界和平与发展，加强在重大国际和地区问题上的协调，合力应对全球性挑战，同各国人民一道，建设更加美好的世界。

30年前，我第一次访问美国，住在艾奥瓦州马斯卡廷市的美国老百姓家中。他们是那么热情、真诚、友好。我们亲切交流，临别时紧紧拥抱，这一幕幕情景至今令我难以忘怀。3年前，我再次回到马斯卡廷市，同老朋友重逢。他们对我说，友谊是一件大事。从这些老朋友身上，从很多美国朋友身上，我真切感受到了中美两国人民心灵相通的真挚感情，这让我对中美关系的未来抱有充分的信心。

女士们、先生们、朋友们！

事在人为。中美关系正站在21世纪一个新的历史起点上。合作共赢是中美关系发展的唯一正确选择。让我们坚定信念、携手合作，共同谱写中美关系发展新篇章！

图书在版编目(CIP)数据

习近平在对美国进行国事访问时的讲话/习近平 著. —北京:
人民出版社,2015.9
ISBN 978-7-01-015371-1

Ⅰ.①习… Ⅱ.①习… Ⅲ.①习近平-讲话-学习参考资料
②中美关系-研究 Ⅳ.①D2-0②D822.371.2

中国版本图书馆 CIP 数据核字(2015)第 235272 号

(RMC-ZJDXI-023-20150922)

习近平在对美国进行国事访问时的讲话
XIJINPING ZAI DUI MEIGUO JINXING GUOSHI FANGWEN SHI DE JIANGHUA

人民出版社 出版发行
(100706 北京市东城区隆福寺街 99 号)

北京新华印刷有限公司印刷 新华书店经销

2015 年 9 月第 1 版 2015 年 9 月北京第 1 次印刷
开本:880 毫米×1230 毫米 1/32 印张:1.25
字数:17 千字

ISBN 978-7-01-015371-1 定价:3.50 元

邮购地址 100706 北京市东城区隆福寺街 99 号
人民东方图书销售中心 电话 (010)65250042 65289539